felipe matheus silva alencar

[@fmatheus13] é licenciado em língua portuguesa pela Universidade Estadual do Ceará. É fotógrafo, artista visual, professor de português, bordador, aquarelista, entre outras coisas. Escreve crônicas, poemas, romances em suas horas lotadas, e também vagas, odeia a palavra "necessidade", mas tem vezes que se esbarra com ela.

MAMÃE CHORA QUANDO EU FALO DE PARTIDA

felipe matheus silva alencar

editora Urutau
primeira edição
2022

O —

editora Urutau

rua do cajú, 478,
jardim das cerejeiras
06724-015
cotia-sp (brasil)

rua manuel pacheco nobre, 128 - 5º esquerdo
2830-080
barreiro (setúbal)
portugal

[+351] 928053619 [portugal]
[+55] 11 9 4859 2 426 [brasil]

www.editoraurutau.com.br
contato@editoraurutau.com.br

[EDITORA]
debora ribeiro rendelli
[REVISÃO]
marcella sarubi
[PROJETO GRÁFICO]
wladimir vaz
[COORDENAÇÃO GRÁFICA]
tiago fabris rendelli
[DIAGRAMAÇÃO]
victor h. azevedo

dados internacionais de catalogação na publicação (CIP) de acordo com ISBD

alencar, felipe matheus silva
A368m mamãe chora quando falo de partida / felipe matheus silva alencar. — cotia : urutau, 2022. 80 p. ; 14cm x 19,5cm.

ISBN: 978-65-5900-388-4

1. literatura brasileira. 3. poesia. I. título.

CDD 869.1
2022-3545 CDU 821.134.3(81)-1

elaborado por vagner rodolfo da silva - CRB-8/9410

sumário

ENTRADA

na entrada

Para entrar aqui tem que gritar
Para permanecer aqui tem que aprender a silenciar
Para sair daqui tem que ter coragem

a história

A morte ainda é uma das únicas coisas que podemos alterar
Não digo do fim
Pois como toda história
Acabam-se as palavras a memória se encerra
Ou a história
Ambas são diferentes
Entender que o fim é modelável é entender a dinamicidade de ser
Pois ver o fim somente como o apodrecimento da carne como o
[retorno ao pó é diminuir tal ato
Somos uma parte do todo
Entender que meus organismos químicos fazem parte de todo o
[cosmo do universo é me ver em parte lá e entender que
[possivelmente minha consciência se transmita lá
Por isso
Quando estiver perto do final da história
Dessa história que está lendo
Ande até um lugar aberto
Sem paredes ou teto
E olhe para o céu e veja que aquele momento
Como no seu nascimento
Está se desenhando no universo
Através dos astros
A sua nova história

Aquela que será escrita no decorrer que sua alma
Sair de sua existência e se materializar em livros palavras textos
[sentenças e outros meios comunicativos
As estrelas são meios comunicativos
Quando você olhar para o distante
A resposta estará lá.

casa de tapume

Minha casa ainda está muito
Deus estruturada
desestruturada
sinto que cada momento eu vejo que as paredes
Elas não estão pintadas que
elas necessitam de um reb
oco que o telhado não está tão bonito
mas a fachada está sempre bonita
pinto todo dia a fachada da minha casa para que possa ter uma
[boa impressão
dentro da casa não sei mais o que tem também não sei mais o que coloquei mas sei que tem muita coisa sei que tem muita coisa boa muita coisa ruim minha casa de tapume sei que tem muita coisa em casa e por isso mesmo gosto de organizá-la por isso mesmo gosto de entendê-la gosto de decifrá-la gosto de observar

eu gosto de entender que minha parede chegou ao momento de hoje por inúmeras histórias

sou falha sou fraca sou forte sou muito eu sou todo seu pouco eu sou muito mas também sou pouco mas sei que preciso pedir muitas desculpas para pôr fim para pôr fim para pôr fim

Sei que preciso pedir muitas desculpas para poder reconstruir minha casa para enfim entender o que os rebocos que as tintas se descascando fazem parte da minha morada tenho que entender que toda história que eu escrevo nas paredes com lápis mais velho possível também faz parte da minha morada sou falha sou fraca sou medrosa sou tudo e muito pouco sou muito tudo um pouco entendo e aceito tudo muito pouco pois sei que sou fraca sou casa sou pouco sou tinta solta sou tinta sou desculpa

por isso peço desculpa por tudo e por muito e por pouco pois de pouco entendo muito de tudo entendo um pouco pois sou tintas sou falha sou fraca sou casa perto de ruir pois falha sou feita de tinta fraca que se Deus vai

por cada lado que passa e que pede e que passa em que pede e que passa desculpas a mil por hora e por isso peço clamo sou tudo muito pouco, mas também sei que sou muito que eu sou tudo o que eu sou um pouco o que sou

casa estruturada e bonita por isso peço desculpa, mas também
[vivo pois sou viva sou sempre viva

azul vermelho

A luz batia na minha janela azul e ver melhor
Resplandecendo na parede branca sobre formas cristalinas de
[calcário
Não entendo sobre o número nove ou esse automóvel que está parado na minha garagem nem dessa cama que levanta tanto e eleva tanto tudo que nos pede não entendo desses três reis que não trouxeram presentes mas levaram as coisas de casa não entendo sobre a noite e os motivos dela ser tão longa e plana

Não entendo muito de muita coisa, mas agora preciso dizer o
[que eu entendo

A luz vermelha e azul passa pelo cristal criando histórias finais

[de começos distantes de quem deseja o infinito,

[mas não pode ter

Pois somos conceito, entendo, somos ideia e não somente
[substância

Se entender como parte é se entender como o todo

Não entender também é dizer algo

As histórias não contadas pousam sobre a escada que a criança desce sorrateiramente e vê os três reis elevarem a cama e levarem a cama e com ela os presentes

Deixem os presentes disse a criança

Mas ninguém escutava

A criança parada vendo a luz vermelha e azul piscando e imaginando que estava numa balada e um barulho forte de pneu

Cheiro forte azul vermelho azul vermelho azul vermelho

Sem fim

como dar fim?

Como dar fins a meios inacabados? Como propor danças para festas inusitadas? Como eu devo criar a teoria do caos, do meu caos? Esse caos que me preenche e enche de algo que não me deixa vazio ou calado, que não me deixa parado ou estático. Como dar fim a essa mosca que não para de me cutucar? Como posso dar fim a tudo isso que me move-morre? Como posso passar os passos dos saltos altos de blém blém blom? Como posso passar a encruzilhada sem olhar para os lados, e ver as faixas que me movem traços? Como posso sair de casa descalço, sem medo dos cacos, dos fiascos, dos cascos, das lascas que você me deixa,

Como posso direcionar a alguém esse texto se

sou eu que escrevo?

No fim, no fim da casa, sempre existe uma porta para o outro lado
[do quarteirão.

cânticos

A luz de fotografia opaca tomba sobre o genuflexório
Em nome do Pai do Filho do Espírito Santo
Bato palmas para meu avô

Rogai por nossa voz
Sua presença que não quero esquecer
Rogai por vosso que tenho medo de perder
Rogai por vós, José
A luz bate palmas para você do mesmo modo que Raimunda
[lhe abraça
Da mesma forma que o Menino Jesus esculpido te roga
E Maria te guia
Rogai por ti
O canto choroso te benze de cantinho
Seis filhos d'água lhe abraçam
Seis metros de distância da rua até sua cama
Senhor,
Não sou digno de tanta saudade
E responde, terei saudades e pranto, pois disso beberás e comerás
Senhor, sou digno de tanto pranto
José descansou sob duas luzes
De sóis tão raros.

toda lembrança move pedra

Toda lembrança move pedra
Toda pedra quebra lembra
Toda lembrança move lembrança
Toda pedra move pedra
Todo dia movo um pouco de lembrança de pedra de move de toda de palavra verbo ponto vírgula acento
Todo dia movo e tento todo dia tento e não movo
Toda lembrança foi pedra um dia para ser movida
Toda pedra um dia foi lembrança para ser ar remessada
Todo dia movo pedra na esperança da lembrança de um dia mover pedra de pensar que foi lembrança todo dia movo lembrança na esperança da pedra se tornar um dia lembrança e eu jogar para bem longe para acertar a vidraça de uma casa qualquer?

as coisas mais lindas

Vovô sempre desejou dançar com vovó.

ainda sobre saudade

Eu queria lembrar
As lembranças que eu
Infelizmente
Esqueci.

PORTÃO

medo

Tenho vontade de correr e chorar e gritar até a nossa casa
Pela saudade que fica.

cartacasa

Esse é um pedido senhor que envie essa carta o mais rápido possível ao remetente disponível que não se perturbe ou se preocupe pois carta sempre espanta ou alegra o dia sempre assusta ou romantiza
Não entendo muito de casa e nem desses sentimentos por isso olho para casas e de casas eu entendo
Sou arquiteto
E mentiroso
Sou casacarta
Ou cartacasa
Faço das cartas de casas e construo com palavras muros grande
[para abrigar você
Quem eu amo tanto
Quem eu zelo tanto
Faço as cartas que envio para você sua mirada
E seu alimento
Sei que é pouco e não tenho tanto a ofere
Ser
Pois sei que sou só carta nem casa
Sou carta falha
Com reboco quebrado e telha furada
Sou casa com ausência com falta de acento e vírgula

Que chama atenção sou carta casa que nem sei onde morada
[solidão morou
Nem sei onde carta habita coração tranquilo em peito frouxa de
[mar que nem ressaca cuida nesse seu coração
Sou cuidado afeto que mirada ao longe se procura ao certo que fica acalanto ao norte sem palavra ao certo de correnteza certa de chegar em você que é farol
E eu só sou casa-carta.

ainda sobre tudo isso

Tem dias que eu não me encontro em nenhum cômodo da casa
Tem dias que estou em todos
Tem dias que eu nem quero mencionar a palavra
Tem dias que escrevo texto
E tem dias que estou aqui
Boba patética esnobe falsa complicada conturbada
Pensando na maioria das palavras que me formam e se formam
Abrir a janela para o vento correr

ESCADA

a escada da minha casa

A escada da minha casa muda todo dia
Tem dias que ela cria raízes inúmeras que procriam feito peste em terra fértil, tem dias que está tão suja que não conseguimos pisar, mas os piores dias são quando ela decide se alongar e os passos parecem infinitos e não sinto meus pés em cada degrau
Tem dias que eu sinto que ando ando ando ando an do do do do do
Como o verbo eu an do
Do
E não me movo
Tem dias que meus pés pregam nos degraus, pois sinto uma cola forte me pregar com a terra sem a possibilidade de sair, tem dias que é rápido, quando vejo se passaram três degraus e já estou no outro andar, mas tem dias que não consigo descer pelo medo de subir novamente
Tem dias que existem dias têm noites que existem dias e dias que [nem existem
Tem escadas que existem dias e que às vezes nem existem
Tem dias que eu paro no meio da es
cada pens
ando que cair dali às vezes pode ser um
alí
vio
Tem dias que eu paro e olho para ci

Ma   cima)
E lá (em
Lá   alto
Lá no
Vejo uma fresta com um céu azul, pássaros cantando beeeeeeem
                                                  [te viiiiiiiiii beeeeeem teeee viiii
E paro e penso e ando e do (and do)
E tem dias que a escada é só uma escada.

SALA DE ESTAR

tudo dó e

Fui no médico mais cedo e disse que tudo dó
E ele não entendeu
Pois ficava perguntando onde
Aqui
Aqui
Aqui
Aqui
E eu dizia
Sim sim sim sim
E ele perguntava e onde não dó
E eu dizia
No banheiro, doutor
No banheiro? Ele questionou
No banheiro, doutor
Por quê?
Porque lá eu misturo as águas
Como assim?
Sei lá doutor muita água acumulada
Muita coisa junta sabe
Mas tudo dó
E como você se sente moço
Sei lá doutor
Posso ir no banheiro

Tudo dó
E como cê se sente moço
Sei lá doutô
Tudo dó
E sabe?
O quê?
Misturo muita água doutor e misturo muita coisa no quarto a mesma coisa não sei quando tô no banheiro ou no quarto ou na rua tudo dó
E o que mais?
Tudo dó
E
doutor
Tudo dó
Acumulo muita água sabe
Tem muita água aqui dentro muita mesmo
Será que sou re
Presa
Doutô?

QUARTO

deixa-me

Existir-me
Deixa-exausto

meu dia

Comecei meu dia até bem, o quarto tinha dezoito centímetros e eu três metros e meio de altura, não sabia muito bem como acordar e com isso me vi meio numa corda bamba, porém calcei o tênis e corri pra nadar logo, pois não acreditava que eu devia ter comprado aquele lápis de bolinhas roxas que era super importante para a minha saúde mental, e eu não sabia se tinha tantos livros nas águas da piscina do centro de piscinas aqui do bairro, perguntei para a mami se podíamos adotar uma, mas ela disse que não, pois piscinas tinham uma alimentação específica que eu não tinha como fazer agora, contente me vi quando eu percebi que não teria que lavar as piscinas. No meio do meu dia eu não estava lá essas coisas, as piscinas lotadas o quarto com sete metros e eu com cinco centímetros, não sabia onde eu tinha colocado a borracha precisava apagar as palavras que surgiam nas paredes, elas se riscam sozinha, nascem quando você molha o chão, papai diz que é supernormal, que eu devia sorrir e seguir, as palavras não cansam de surgir e minha borracha é pequena demais para apagar tanto. No fim do dia meu quarto estava do mesmo tamanho que o meu e eu não via meus móveis, sempre esbarrava em uma cama, em três poltronas, sete fogões, nove facas, sempre me esbarrava, era ai ai pra lá ui ui pra cá. Não sabia. Antes de dormir eu já estava mais calmo, o quarto tinha três metros quadrados e eu um metro e meio, normal, dormi. Senti nada. Comecei o meu dia bem…

no meu quarto tem

No meu quarto tem uma goteira sem fim que eu fico pensando se eu não inventei essa goteira com o intuito de me distanciar de mim

No meu quarto tem um barulho que eu criei que faz um momento de sabe quando você está lá e então você pensa e vai ver que

No meu quarto tem um gato de seis patas que vive deixando pelos por todos os cantos e magoando a goteira e por isso ela sempre chora de noite e causando maior tumulto aqui dentro

Dentro do meu quarto tem uma cama grande o suficiente para vários corpos, mas só abriga um

Dentro do meu corpo tem um ser que vive trancado no receio do mundo e não entendendo o motivo da goteira chorar tanto, do gato incomodar tanto, da cama ser tão grande, e não saber se é ele que vai ser o próximo a sair pela porta e não voltar mais

porta

A porta do meu quarto
Tem mudado de lugar
Às vezes a pego sorrateiramente na esquina voltando do meu
[hipotético trabalho
Tem dias que a encontro na varanda,
Com vista pro mar
Tem dias que não acho
E os meus preferidos
Tem dias que ela está no quintal.

carta para ainda falar contigo

Escrevo esta carta na esperança de um dia chegar no mar e não
[em você
Pois se chegar em você estarei falando verdades
E não mentiras
(E isso me machuca)

e se eu for?

Quando eu estiver indo saberão que eu não tenho peito de aço
Nem raiz forte
Nem caule grande
Sou feita de tudo e nada
Ultimamente mais nada que tudo
E por isso me encontro mais entre o buraco de minhoca
Entre a possibilidade de luz
E a escuridão
Entender isso é me entender
E me desbravar
Pois sou barco, sou naufrágio
Sou incêndio e cinzas
Sou essa casa lotada um monte de abajur que não acende
Sou teatro e telenovela
Sou esse não saber o que serei após eu comprar a passagem de ida
Sem despedidas sem flores só canto e samba
Um funk quem sabe
Enfim,
Voltando, e se for verdade
Saberei de tudo e nada.

ode à força

Não me chame de forte
Pois eu choro pela noite es
Cura
E não entendo de ser forte
Não me chame de forte
Pois força é o que passa em comerciais claros de dentes limpos
[e recém-embranquecidos
Não me chame de forte!
Não me chame de forte
Pois de dor tenho feito minha cama toda a noite que acordo assustado pensando na janela que está aberta, mas não fui eu e não sei quem foi quem foi quem foi pelo amor de Deus alguém me diz quem foi quem foi que chegou no meu ouvido de noite e me disse que sou forte quem foi? Foi comercial? Foram os dentes? Foi o doutor?
Foi tu que me chama de forte
Canto e canto e canto
Sou forte sou
Sou forte sou forte
EU NÃO SOU FORTE
Não sou forte eu grito
Não me chame de forte pois de rico tenho nada
A paz é do rico a força é do pobre

A força é preta
Pois só isso posso ter
Ser seu exemplo com dentes brancos
Grampeados
Sorri! Tu és forte! Sorri! Sorri!
Com o olho branco digo
Sou forte
Com a pupila escura
Eu grito
NÃO.
SOU. FORTE!

paraíso n.2

Ouvir o chocalho da minha sobrinha me diz sobre a vida.

cartografias

n.1

Desvendar mapas que eu crio
Com minhas próprias.

n.2

Cortar o mapa de fuga,
Pois não sei se fui eu que fiz, ou foi-me dado,
Ou se foi escrito ou criado,
Não sei de quem é essa fuga,
Só sei que não é minha.

n.3

Trabalhar rotas de fuga
De forma fugaz e violenta
Pois minhas mãos estão cheias.

tudo isso

Eu queria fazer algo
Mas o aspirador de pó não deixa eu me mover
Sempre lá se movimentando se gabando que limpa tudo até
[lugares que eu não alcanço
Queria fazer algo, mas a mosca não me deixa em paz
Sempre provocando soltando tudo no meu ouvido
Dizendo todas as verdades que eu invento que são verdades por
[serem mentiras verdadeiras
Eu queria fazer algo, mas porta fechada me deixa lá olhando pra
[essa branquidão
Eu queria fazer algo, mas a cama me abraça e me sinto em paz
[momentânea
Eu queria fazer algo, mas a mente não para pois comprei um trem uma locomotiva a vapor que fica zanzando por aí eu devia ter comprado um recibo também assim ela não ficaria zanzando por aí ficaria parada
Eu e minha mania de querer parar as coisas por simplesmente querer
Mesmo sabendo que tudo o que eu quero não posso ter
Queria fazer mais coisas, mas o aspirador a mosca a porta a cama o trem a máquina de lavar essa gente toda no quarto dizendo em coro "menino"
Queria fazer mais.

no outro dia

No outro dia quando acordo e abro a janela e grito
O que é meu é meu
Após essa reza braba me vejo no êxtase
Pois sim
O que é meu
É meu
Meu caminho. Meu tesouro
Sou corte e também sou reza
Sou caminho e também sou maré
Cheia rio forte e alta
Sou meu e o que é meu é meu
E tenho que repetir para mim
E para os outros
Sou meu e o que é meu, é meu, é meu, é meu
Eu rogo, eu clamo, eu suplico, o que é meu é meu
E que ninguém me tire, pois é meu
Sou forte, sou norte, sou meu e ninguém me tire e ninguém
[me desate
Sou nós, sou norte, sou meu e vou para Marte
Pois, se Deus quiser, sou meu e meu sempre serei
E no outro dia, eu grito tudo de novo, e de movo, e de novo, [
e de movo, e de novo e me movo.

no meu quarto n.2

No meu quarto tem estantes vazias que ficam somente como
[enfeites para estar constantes pertencentes
No meu quarto me vi rodeado de camas que sempre paro e vejo
[e não me movo sem nem piscar
No meu quarto eu escuto o meu eu falando consigo mesmo e não
[sei quem começou a falar
No meu quarto eu comprei um lindo abajur para tentar me
[iluminar
No meu quarto faltam lâmpadas, camas, estantes, cortinas,
[azulejos azuis, e flores
No meu quarto me vejo parado diante do espelho
No meu quarto eu me vejo parado diante do espelho mesmo
[quando vejo que não estou lá
No meu quarto tem escadas que mudam de tamanho pois tem
[dias que eu não sei
No meu quarto sempre eu paro antes da porta e respiro, pois não
[sei quando sai ou quando entrei
No meu quarto tem dias calmos, mas também tem
Pestades
E dias parados que eu não me movo e quando respiro olho ao meu redor, e vejo uma cama, uma estante, uma janela, e uma vista para onde eu quiser
Tem dias que o quarto é que nem escada, e subimos, ou descemos, ou paramos, mas no fundo são só perspectivas.

COZINHA

cru

Carne crua feito faca é penetrada às alturas
Vejo morte quase sempre no açude da titia
Não sei de asa só de estrada bate bate volta, volta
Não sei nada do que passa nessa estrada textual
Não sei nada dessa carne que o açougueiro corta corta
O açougueiro corta corta essa carne que nem nada
A carne não pediu nada só ficou calada
A carne virou petisco churrasco de uma turma enorme mole
Todo tempo essa carne penetrada crua crua
Nua nua carne viva sem esperança nem fadiga
Carne crua penetrada na esquina
Carne nua penetrada na titia
Carne crua penetrada no vizinho
Carne crua penetrada na pracinha
Na cantiga na caatinga no cerrado
No carnal
Val
Carne crua sangra sangra e ninguém vê
Só vê carne crua podre se apodrecer
Até
Morrer

urucum

Ta chei de coração dentro do urucum
Vermelho vivo que vive e nasce e planta e morre
Ta chei de semente no urucum
Na cabeça do urucum
Orí
Ta chei de coração na cabeça
Chei de coração no orí
Chei de coração
Cê tá vendo chei de coração de urucum
Pinta o corpo de coração
Pinta o coração de vermelho
E vive
Vivo
Ta chei de coração no urucum e em mim

BANHEIRO

notícia

Li em algum lugar que a pele das minhas mãos se regenera
[constantemente
Onde estão os meus restos?
Onde estão os meus restos? Onde perdi os meus restos? O que fazem os meus restos? Meu resto tem lembranças? Sou barro agora? Sou fruto e carne agora? Meus restos alimentam bactérias? Larvas? Tapuru? Meus restos estão vivos? Estão vida? Onde vivem meus restos? Meus restos estão viajando pelo mundo por causa do vento, e, com isso, saem mais do que eu, se movem mais do que eu, se alimentam mais do que eu, se animam mais do que eu, se amam mais do que eu? Eu clamo, eu rogo, eu choro, eu grito, onde estão os meus restos desses anos?
Quanto de mim eu deixei na rua? Quanto de mim eu me deixei levar?
Onde meus restos param, eu sei andar?
Onde meus restos voam, eu sei nadar?
Onde meus restos vivem, eu viverei
Onde estão as lembranças futuras criadas para confortar
[passados imaginários desses restos
Meus restos estão felizes?
Ponto
Você não me pega chorando
Pois eu rasgo todas as folhas do tempo
E remarco minhas paisagens

Você não me vê chorando
Pois virei o mapa do avesso
Para, enfim,
Não me encontrar dentro dessa miragem
Você não me vê chorando
De cachoeira nem brasa forte queima
Nem rio imenso
Imerso reina
Corpo alagado fala
Chora grita mente e ama
Mas ninguém diz que corpo é corpo
E choro é choro
Ninguém diz que ferida é ferida
E sal (dade)
Na ferida cura
Sal grosso de mar na ferida cura
Areia de praia conta o tempo que tô longe de ti
E dou graças
Não choro e não me vê.

COISAS QUE ACHAMOS NO ESCURO

cartas para você

Acredito que eu deva começar com as desculpas
Entender que só reclamo
Por ausências mortas
Sempre-vivas flores que comprei no centro
Para te dar num dia frio que nunca chega, pois esse sol sempre
[bate na porta
Pedir desculpas pelas culpas feitas
Não por nós
Pedir desculpa pela ausência de presente no dia do seu aniversário
[que só consegui dizer ei tô aqui viu
Ausência fantasiada de culpa fantasiada de medo fantasiada de
[pavor pranto
Acredito que devo iniciar sobre as cartas que nunca chegam na
[sua porta, mandei tantas e nem sei o motivo
Entender que não entendo e nem aprendo
Só sei desse vazio
Está vendo? Eu só reclamo
Sou farto de mim
Sou farto
De mim sou farto
E completamente inapto
Células mortas sempre-vivas

Mas, agora, sério, pedir desculpas todo dia pelo desejo que fica na
[ponta da língua

Ponta da linga
Ponta de faca
Aponta e cobra e me cobra e te cobre minha ausência morta
[fantasiada de desejo

Desculpa, foi um equívoco
Do seu,
Beijos.

sobre o amor n.2

Um lixo se apaixonou pela flor
A flor livre voando e sonhando
O lixo parado e sonhando
A borboleta crescendo e voando
O lixo parando e clamando
A borboleta sobrevoava seu corpo
O corpo não sabia o que sentir
Borboleta morre sobre o corpo do lixo
E o lixo pousa a chorar e partir
O lixo se decompõe aos poucos
A borboleta morta sobre o corpo do lixo também
Ambos assistem ao decorrer da vida
A vida assiste tudo sem pressa de existir
O lixo não sente o corpo morto da borboleta
Mas sente que aos poucos se esvai por aí
A borboleta não está mais lá
Mas a presença fica
O lixo se decompõe no correr dos anos e cada dia que passa
[mais a borboleta se esvai
Mais se vai
Mais se vai
Mais se vai
Massivamente
O amor não é somente sobre coisas vivas.

paraíso

Sobre não encontrar o amor
Carta de alguém perdido
Oração de azulejo
Um dia ouvi minha amiga me dizer que lambia azulejos, pois
[saboreava as águas que saiam dele
Me senti assim hoje
Voltando ao meu eu adulto
Chupando azulejos
Retirando águas de locais inimagináveis
Oração
Rogo por ti de joelhos em procissão
Como esse boy que canta essa música melodramática
Que eu rogo e provoco
Eu não sei o que escrevo
Pois esse texto
Como minha amiga
Está lambendo para retirar água de onde não tem.

amor em quatro atos

Primeiro ato

Menino distante de moletom preto no busão lotado
Menino pertinho de camisa azul no busão lotado

Segundo ato

Menino que diz tanto de moletom preto no busão lotado
[encarando o menino de pertinho no busão lotado
Menino de perto tinha da camisa azul no busão lotado olhando
[o centro na janela lotada

Terceiro ato

Menino de preto suspira adoidado afoito pelo perto que escapa
[pelo menino de pertinho de azul
Menino de azul suspira com o calor do busão lotado que não para
[de chegar

Quarto ato

Menino de preto do moletom lotado chora de cantinho pelo amor não notado, quem sabe outro dia, dispara acelerado pelo mar lotado
Menino de azul que nem mar olha para o ônibus parado e pensa,
[quando será minha vez

Quinto ato (surpresa)

Menino de moletom preto desce a escada do busão deixa o seu sapatinho de cristal, menino de azul pega seu sapatinho e diz que irá procurar onde ele estiver
Menino de preto olha pra escada e pensa: puts, minha parada...

se eu morrer amanhã

Se eu morrer amanhã, não chore
Vá no meu quarto e quebre todas as janelas
Se o fatídico dia ocorrer amanhã
Não fique triste, rasgue todas as páginas de todos os meus livros
Se isso ocorrer, não pereça
Jogue minhas roupas na rua
Pois de mim, não me tenho
E de tu, não tereis
Por isso, me jogue no liberto júbilo do ar
Nos côncavos marulhos exorbitantes
Se eu morrer amanhã, não chore, nem fique de luto, me leia e
[me lembre que sempre fui palavra-verbo-ação
E com isso, navalha corta faca e sangrei morro
Enfim, olho nos teus olhos calmos e digo, me leia, me cante,
[me ore, me abrace, mas não chore, nem clame, só rogue pela
[minha liberdade
Me jogue na rua, na tua, no mar, no ar
E, enfim, sou estrela cadente que para, e não mente, e por isso,
[sou ursa polar
Se ocorrer,
Correrei como as palavras desse texto.

será que me perdoa?

Tenho cinco, seis anos
Na verdade, não lembro mais quantos anos eu tenho, pois é
[difícil contar
Minhas tias falam de números complexos que não entendo
[muito
Mas sempre me pego pensando muito nos cupins que comeram
[todo o meu quarto
Foi assim, do nada
Tinha dormido e acordei com eles comendo tudo
Nem o cimento restou
Me falaram que cimento era forte
Será que sou mais fraco?
E se eu não aceitar perdoar, sou fraco?
E se Deus souber que eu não perdoo, ele me perdoa?
E se eu não souber o significado dessa palavra ainda?
Como posso entender de dicionário se eu não vejo uma história
[sendo contada?
Quando mais novo, eu pensava que o cimento era o mais forte
[que tínhamos
Mas descobri o aço
Porém até isso os cupins comeram
Meus pais falaram que é normal
Tem dias que nem nosso quarto nos quer

(Tenho medo desses dias)
E que tem dias que coisas se vão sem se despedir
Sem se despir
Não sobrou nem o travesseiro, nem choro, nem nada
Nem chorei tanto, eu acho
O banheiro alagou um pouco
Mas eu consegui fechar a torneira que fica nos meus olhos
Eu olhava para o espelho nas pontas dos pés
"Você vai fechar essa torneirinha, nada de choro, viu, homi não chora, você não chora, bicha não chora, negre não chora, viu, não chore, não, pois você não é nada disso, você não é cupim, você é quarto"
Mamãe me pegou no colo
Perguntei a ela se Deus me perdoaria por partir que nem o quarto
Mamãe chorou
Não entendo muito de choro
Só de quartos que vão embora sem me avisar e de cupins que [comem tudo até cimento e aço

eu queria

Eu queria ainda ter esses olhos de jambo que tanto me falaram
Ter o abraço apertado do meu eu antigo
Eu queria desejos inomináveis
E as mazelas de amores que hoje vejo serem pequenas
Queria o afeto de barba e o carinho de peito
Choro de início e risada de fim
Abraço apertado de manga de peito rosa que maduro fica e não
[fincam mas ama e chora e não roga, mas rogai por nós, amém
Queria abraço de romaria que de terço sei bem
Queria reza de palmeira, pois elas são tão duras
Douradas
Queria que Mainha batesse em minhas costas com espada de
[São Jorge para me proteger e comigo-ninguém-pode
[para me fazer caminhar
Pois está difícil
Queria caminhar como o meu eu do passado caminhava, sem
[medo e com menos temor
Hoje meu eu do presente precisa do meu eu do passado, pois
[ele era tão forte
Hoje queria o amor de um caldo de ovo quente com farinha, queria aquela tapioca de manhã da dona Maria, queria a lagoa azul cristalina, queria a paz prometida de ilha inédita que finca e grita e grita e grita

Eu grito eu grito eu grito
Eu grito eu grito eu grito
Me abraça.

ainda sobre amor e saudade

Meu avô acordou no meio da noite dizendo
Bora voltar pra casa
E dizemos em coro
Claro, vovô
E deitamos ele novamente na cama dele

QUINTAL

quintal

Jacarandás
Plantas de goiabas
Folhas de comigo-ninguém-pode
Espadas foices e martelos
Cavalos reinam
Saudade chora
E minha entrada é aplaudida

vovô

Vovô se foi em linha numa manhã desacordada azul
Aplaudidas nuvens
Vovô se foi em tecido num pôr do sol
Tangerina
Cítrica nítida
Esvoaçante
Vovô ficou em nós
Abraçados

no meu quintal

No meu quintal quero cartas avulsas de tarot
No meu quintal quero um canto profano e sagrado
No meu quintal não quero choro nem vela
(mas eu minto muito)
No meu quintal rezarei todo dia
Um dia meu amigo me disse que no mar tudo que parte nunca volta
No meu quintal terei um mar gigante, maior que o convencional,
[para enfim
Jogar todos os meus males para morrer e não voltarem
Enfim jogarei saudade de frente para o mar
E escutarei o eco de meu coração.

vai na frente

Eu posso e rogo,
Que vá na frente,
Eu digo e repito,
Maria, vá na frente,
Maria Aparecida,
Maria Eduarda,
Maria Rosimeire,
Rosilene,
Maria Salete,
Graça,
Me dê sua graça de ar de encanto,
Maria, vá na frente,
E que Maria me veja de frente,
Maria Claudia,
Maria Maryleide,
Marias e Franciscos,
Que Maria nos rogue,
Que Maria nos encante,
Com essa saia rodada que bordei tão fielmente como seu sorriso,
Que Maria me faça festas,
Me cubra,
Me veja,
Me transpareça,

Que não me veja de luto,
E nem no momento de desatino,
Maria, vai na frente.
Digo e me repito,
Pois, Maria me guia,
Me roga, me promete,
Me toma e diz que não é meu,
Diz que dói, diz que não fez,
Diz muito e nada.
Mas, no fundo, não entendo,
No futuro, entenderei, que Maria foi na frente,
Que outras Marias virão,
E que visão.
Maria correndo, pulando, sorrindo.
E me enchendo de graça.
Mas, Maria, não quero dizer adeus, não.
Oh, meu menino.
Maria correu e me disse que de ouro de Oxum me banha de
[mar salgado de Iemanjá.
Oh, Maria, me guie, viu.
Maria Claudia, Maria Eduarda.
Quanta Maria, né, Salete.
Que Maria te guie, meu filho,
Diz Maria Raimunda.
Que Maria te guie,
Diz Maria do Carmo.
Que Maria me guie,
E eu nunca me perca.
(E se eu me perder, que eu volte.)

vovô e vovó

A casa é uma construção
No qual através da tinta da cerâmica
Da a mobília, do muro baixo
Dos meninos e meninas correndo
Da televisão e da romaria
Da comunhão e da crisma
Da saudade do abraço
Da caça ao tesouro e o creme de galinha
Do churrasco de domingo e dos encontros de família
Vovó sempre me deixava ganhar no baralho
Vovô sempre me dava big big verde
Bença vô Bença vó
Hoje eu que tenho saudade de casa

(Digo para saudade me deixar, mas ela não me deixa, como uma
[criança que quer colo)

sobre fim (ou histórias que nem sabemos)

Meu avô está indo para casa
Não a nossa casa em comum
A dele
Em particular
Que ele comprou cuidou
Vovô vai se encontrar na casa com a vovó
E se Deus quiser
Vovó estará mística e singela
Ríspida e doce
Vovô irá abraçá-la e enfim
Irão para casa

■ primeira edição
■ novembro de 2022